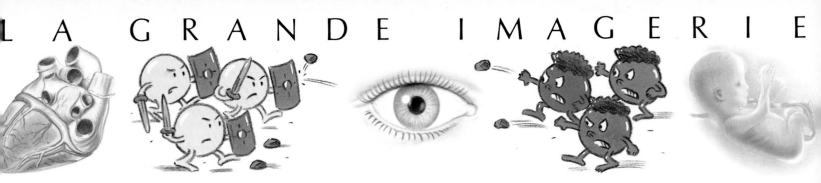

LE CORPS

POUR LE FAIRE CONNAITRE AUX ENFANTS

Conception
Émilie BEAUMONT

Rédaction
Agnès VANDEWIELLE

Images
Milan illustrations Agency
Giampietro COSTA
Mariano VALSESIA
C. HACHE

FLEURUS
ENFANTS

ÉDITIONS FLEURUS, 15-27, rue Moussorgski 75018 PARIS

NAISSANCE DE LA VIE

Le corps de l'homme et le corps de la femme sont complémentaires, il faut qu'ils s'unissent pour donner la vie.

Tous les mois, la femme émet une graine de vie, l'ovule, qui attend d'être fécondée par un des spermatozoïdes produits par l'homme. Dans le même temps, son utérus se prépare pour recevoir le futur bébé. Si l'ovule n'a pas été fécondé, l'utérus reprend sa forme normale, ce qui s'accompagne de pertes de sang : ce sont les règles.

Lorsqu'un papa et une maman s'aiment très fort, ils s'unissent si intimement que le papa met son sexe dans celui de la maman. Au moment où leur plaisir est le plus grand, le papa envoie son sperme, qui contient les spermatozoïdes, au fond du vagin de la maman. Les spermatozoïdes remontent alors dans l'utérus jusqu'à la trompe, à la rencontre de l'ovule, pour le féconder. Si la rencontre se produit, c'est le début d'un bébé !

LES DEBUTS DE LA VIE

L'histoire d'un bébé commence quand un ovule est fécondé. Sur les millions de spermatozoïdes du papa qui remontent par l'utérus, un seul a pu pénétrer dans l'ovule de la maman. L'ovule ainsi fécondé est une grosse cellule logée dans un canal, la trompe, entre l'ovaire et l'utérus. L'ovule se divise en deux après 36 heures, puis en quatre après 48 heures, puis en huit et ainsi de suite pour former un amas d'une centaines de cellules. Cet amas grossit et descend, en 5 jours environ, dans l'utérus. Il va y faire son nid dans une poche membraneuse remplie de liquide. Maintenant, c'est un embryon qui va se développer pendant 9 mois, jusqu'à la naissance. Il est relié à la maman par une sorte d'éponge accrochée à l'utérus, le placenta, et par le cordon ombilical. Grâce à eux, la maman apporte à l'embryon l'oxygène et les aliments qui vont le faire grandir. (Suivant la nature du spermatozoïde, il y en a deux sortes, l'ovule fécondé donnera naissance à une fille ou à un garçon.)

trompe

utérus

vagin

1

2

1

Chez la femme, deux petites glandes, les ovaires (1), contiennent en réserve plus de 300 000 minuscules œufs, les ovules (2). Chaque mois, un ovule sort des ovaires : il est prêt à être fécondé.

Chez l'homme, ce sont deux glandes en forme de boules (3), les testicules, qui produisent les spermatozoïdes (plus de 250 millions par jour).

vessie

3   3

L'ovule est très gros par rapport au spermatozoïde.

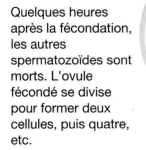

Quelques heures après la fécondation, les autres spermatozoïdes sont morts. L'ovule fécondé se divise pour former deux cellules, puis quatre, etc.

1

2

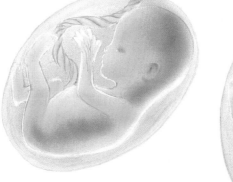

Le petit amas de cellules, tout en continuant à se diviser et à grossir, progresse dans la trompe (1) jusqu'à l'utérus (2), où il va se fixer pour continuer son développement.

6 semaines

8 semaines

3 mois

5 mois

LE DEVELOPPEMENT D'UN BEBE

Dans l'utérus :
– à 6 semaines, la tête se distingue du corps. C'est l'ébauche de la forme humaine ;
– à 8 semaines, l'embryon a environ 3 cm de long et pèse 11 g. Les principales parties de son corps sont formées. Il a déjà des doigts, des orteils et des yeux ;
– à 10 semaines, le corps continue à grossir et à se développer. L'embryon va bientôt ressembler à un bébé en miniature ;
– à 3 mois, l'embryon s'appelle désormais un fœtus. Il mesure entre 7 et 10 cm et pèse 45 g. Tout son corps est construit. Il ouvre la bouche et avale. Ses organes sexuels apparaissent. Au quatrième mois, on pourra voir sur l'échographie si c'est un garçon ou une fille ;
– à 5 mois, il mesure 25 cm et pèse 500 g. Il a des cheveux, des cils et des sourcils. Ses reins et son appareil digestif fonctionnent.

Il lui arrive de sucer son pouce. Sa maman le sent bouger ;
– à 9 mois, il a beaucoup grossi et pèse entre 3 et 3,5 kg. Il se sent très à l'étroit dans l'utérus et se prépare à naître. Il sortira la tête en bas par le sexe de sa maman.

LA CROISSANCE

Dès notre conception, notre corps ne cesse de se transformer. On grandit jusqu'à 18-20 ans, âge où les os atteignent leur taille définitive. Pendant la croissance, on fait les principaux apprentissages : se tenir debout, marcher, parler (vers 2 ans environ). Puis, à la puberté, entre 12 et 14 ans, le corps des filles et des garçons change. Quelques années après, eux aussi pourront avoir des enfants. On passe ensuite à d'autres étapes : l'âge adulte et la vieillesse.

Pendant toute la vie, les cellules du corps se renouvellent.

Quand on est vieux, les tissus s'affaissent peu à peu, on a des rides, on devient plus fragile.

A 1 mois, bébé boit du lait. Il commence à sourire. Il ne suit pas encore des yeux et il prend entre 25 et 30 g par jour.

A 2 mois, bébé relève sa tête lorsqu'on le met sur le ventre. Ce n'est que vers l'âge de 5 ou 6 mois qu'il se sert de ses bras pour se redresser, comme le fait le bébé ci-contre.

Vers 5 ou 6 mois, bébé attrape des objets dans sa main et mange à la cuillère. Ses premières dents poussent. Il commence à rester assis longtemps et il se tient bien sur ses jambes lorsqu'on l'aide à se mettre debout.

A 7 ou 8 mois, bébé aime bien jouer avec ses cubes et les empiler. Il commence à s'accrocher aux barreaux de son lit et essaie de se mettre debout. Il prononce quelques syllabes.

A 9 mois, bébé marche à quatre pattes. Il babille et répète de plus en plus de syllabes. Il prend du plaisir à jeter des objets par terre.

A 12 mois, bébé fait ses premiers pas. Il mesure environ 70 cm et pèse aux alentours de 10 kg.

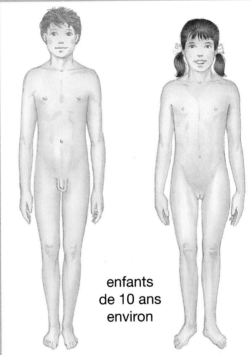

Vers 6 ou 7 ans, les enfants jouent au ballon, dansent, font du sport. Ils ont beaucoup d'activités, aiment avoir des amis et jouer avec eux.
Depuis 3 ou 4 ans, ils vont à l'école. Ils apprennent à lire, à écrire et à compter.

La puberté
Entre 10 et 16 ans, le corps des filles et des garçons se transforme. Chez les filles, les poils apparaissent sur le corps, les seins se développent, les formes s'arrondissent et chaque mois les ovaires commencent à émettre des ovules. C'est entre 10 et 14 ans que surviennent les premières règles.
Chez les garçons, les épaules s'élargissent, la voix mue, des poils apparaissent sur le corps, le pénis s'allonge et les testicules commencent à produire des spermatozoïdes.

Pendant la croissance, toutes les parties du corps ne grandissent pas de la même façon. Chez le bébé, la tête et le corps sont gros par rapport aux membres. Plus tard, en revanche, c'est le contraire : les membres s'allongent rapidement alors que le volume de la tête se développe plus lentement.

enfants de 10 ans environ

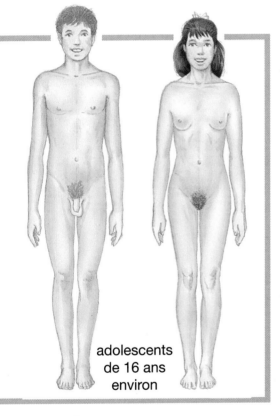

adolescents de 16 ans environ

L'âge adulte
L'âge adulte est la période la plus longue de la vie. Les adultes ont des enfants et forment une nouvelle famille. Quand les enfants, devenus adultes, ont à leur tour des enfants, les parents deviennent grands-parents.
C'est la ronde des générations.

LES DENTS ET L'ALIMENTATION

C'est grâce aux dents que nous pouvons manger la nourriture solide qui nous aide à grandir. Les bébés ont leurs premières dents entre 6 et 8 mois. Ce sont les dents de lait. Elles seront plus tard remplacées par les dents définitives. Chaque fois que tu manges, tu utilises tes dents pour déchiqueter, mâcher et broyer les aliments. Ceux-ci, imprégnés de salive, peuvent alors être facilement digérés et transformés pour aider ta croissance et te donner l'énergie dont ton corps a besoin. Pour rester en bonne santé, il faut à notre corps une nourriture variée et environ 1 litre et demi de liquide chaque jour.

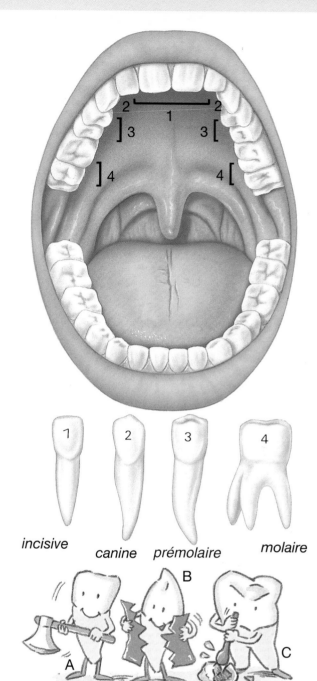

incisive   canine   prémolaire   molaire

Le rôle des dents

Chacune de nos dents a un rôle particulier. Les incisives (A) coupent les aliments avec leur bord tranchant. Les canines (B), pointues, les déchirent. Les prémolaires et les molaires (C), avec leurs deux petites bosses, broient les aliments très durs.

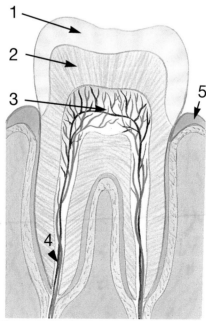

Les dents sont recouvertes d'un émail très dur (1), qui les protège du chaud, du froid et des chocs. Au-dessous de l'émail, la dent est moins dure : c'est la dentine (2). A l'intérieur, enfin, se trouve la pulpe (3), où circulent de petits vaisseaux et des nerfs (4). Cette pulpe est la partie sensible. Elle s'enfonce jusqu'aux racines, logées dans les gencives (5).

Les dents qui poussent
(des dents toutes neuves !)

Vers 2 ans, les enfants ont 20 dents de lait. Au-dessous de chacune, il y a le germe d'une autre dent, qui va aider la dent de lait à tomber en détruisant sa racine. Entre 6 et 12 ans, toutes les dents de lait tombent. Leur place est prise par les dents définitives. Les adultes en ont 32.

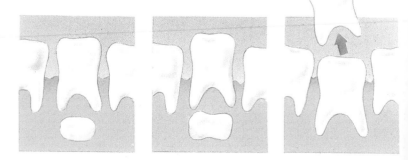

10

L'ALIMENTATION

Notre corps est composé de milliards de petites cellules qui fonctionnent sans arrêt, même quand nous nous reposons. Nous devons donc manger pour leur apporter de l'énergie et les remplacer quand elles vieillissent. Les besoins de notre corps sont très divers.

Si ce qu'on lui apporte est soit insuffisant, soit trop abondant, ses mécanismes se dérèglent. Certaines personnes, à peine un repas terminé, ont déjà faim.

Elles consomment beaucoup trop de nourriture : ce sont des boulimiques.

D'autres, au contraire, refusent de manger et maigrissent beaucoup : elles sont anorexiques.

Si l'on mange beaucoup trop sans faire d'exercice, la graisse s'accumule sur le corps : on devient obèse.

La vitamine D (apportée par les laitages et le foie), qui fixe le calcium sur les os, est nécessaire à la croissance.

Si on en manque, les os restent fragiles et ne grandissent pas : c'est le rachitisme.

COMMENT BIEN SE NOURRIR ?

Nous devons manger environ 4 fois par jour. Nos repas doivent contenir un peu de tout ce qui est nécessaire à nos cellules :
– des protéines, qui aident à construire les cellules de nos muscles et de nos organes. On les trouve dans la viande, les œufs, le poisson et le fromage ;
– les glucides, qui nous donnent force et énergie, sont apportées par les sucres, les céréales, les pommes de terre ;
– des lipides, qui fournissent aussi de l'énergie et nous protègent du froid en formant une petite couche de graisse sous notre peau. On les trouve dans l'huile, le beurre, le chocolat, les fruits secs ;
– des vitamines, qui assurent la bonne digestion des aliments, interviennent dans la formation des globules rouges et, avec les sels minéraux, renforcent les muscles et les os. Fruits et légumes contiennent beaucoup de vitamines. Le poisson est riche en phosphore (indispensable à la mémoire) et en calcium (nécessaire à la croissance).

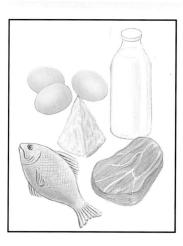

protéines

glucides

lipides

vitamines

LES MUSCLES ET LE SQUELETTE

C'est grâce aux os et aux muscles que notre corps est à la fois solide et capable de se mouvoir en tous sens. Un assemblage de 206 os de formes diverses constitue le squelette. La colonne vertébrale soutient le corps, d'autres os protègent les organes fragiles : ainsi, le crâne protège le cerveau, les côtes protègent les poumons. L'os le plus long est le fémur, le plus petit est l'étrier, situé dans l'oreille. Les muscles, souples et élastiques, recouvrent les os. Nous en avons environ 650. En se contractant, ils agissent sur les articulations des os et mettent notre corps en mouvement : ils nous permettent de marcher, de courir, de sauter.

Les muscles

La plupart des muscles, comme ceux des bras, des jambes, des mains, sont volontaires. C'est le cerveau qui leur commande de se contracter. Mais un petit nombre de muscles se contractent automatiquement : le cœur (circulation), les muscles de l'estomac (digestion), de la cage thoracique (respiration), des reins (élimination). Ce sont des muscles involontaires.

Les os :
1. os du crâne. 2. clavicule.
3. omoplate. 4. côtes.
5. colonne vertébrale.
6. humérus. 7. radius.
8. cubitus. 9. os iliaque
(bassin). 10. fémur. 11. rotule.
12. tibia. 13. péroné.

Les muscles :
1. pectoraux. 2. biceps (bras).
3. quadriceps (cuisse).
4. jumeaux (mollets).

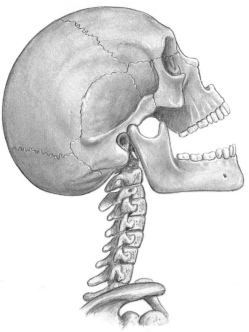

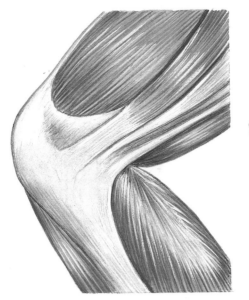

Le cou et la colonne vertébrale

La colonne vertébrale porte la tête. Elle est constituée de 24 vertèbres articulées les unes sur les autres. Elle permet au tronc et à la tête de s'incliner et de tourner dans toutes les directions.
Pour tourner la tête, les muscles du cou font pivoter l'une sur l'autre deux vertèbres : l'atlas et l'axis.

Le genou

C'est une articulation charnière de l'os de la cuisse (fémur) et de celui du mollet (tibia).

Pour plier le genou, les muscles situés derrière la cuisse, en se contractant, tirent sur le tibia : le genou se plie.
Une poche de liquide (la synovie), située entre les os du genou, facilite la rotation.

biceps

triceps

Plier et tendre le bras

Biceps et triceps sont des muscles situés devant et derrière le bras.
Pour plier le bras, le biceps, en se contractant, se raccourcit et tire sur les os de l'avant-bras ; le triceps, lui, s'allonge : l'avant-bras se replie. Pour tendre le bras, le triceps se contracte et le biceps s'allonge : le bras se détend.
Biceps et triceps, comme tous les muscles, sont fixés aux os par des tendons. Aux articulations, les os sont reliés entre eux par des ligaments.
Pour faciliter les mouvements, l'extrémité des os est recouverte d'une matière lisse et élastique : le cartilage.

Les os sont-ils fragiles ?
Nos os sont solides, mais un choc violent peut les casser. On immobilise alors le bras ou la jambe cassés dans un plâtre. L'os se ressoudera tout seul en quelques semaines. Pendant un effort, si on tire trop sur un ligament, il s'allonge ou même se déchire : c'est une entorse.

Qu'est-ce que la chair de poule ?
Quand on a froid, de petits muscles font se dresser les poils sur la peau et gardent la chaleur dans le corps en fermant les pores : c'est la chair de poule.

Jusqu'à quand les os grandissent-ils ?
Les enfants ont, au bout des os, une réserve de cartilage. En se durcissant, ce cartilage fait grandir les os. Quand tout le cartilage est durci, vers 18-20 ans, la croissance s'arrête. Les crocodiles ont des os qui grandissent toute leur vie !

13

LE CERVEAU

Il est le grand centre de commande de toutes les activités de ton corps. Toutes les sensations du corps lui arrivent par les nerfs : il les trie, les déchiffre et commande les gestes et les réactions nécessaires.
Le cerveau est fait de trois parties : le tronc cérébral (A), qui te fait respirer, qui fait circuler ton sang et battre ton cœur quand tu dors ; le cervelet (B), qui coordonne les mouvements ; et le cortex (C). La surface du cortex, sillonnée de milliers de replis, forme des zones, ou aires, ayant chacune sa fonction propre : sentir, parler, écrire, agir, se souvenir (voir dessin central).

▼ L'hypothalamus (4) : c'est le régulateur de la faim, de la soif, de la température, de la peur ou de la colère.

L'aire visuelle (1) : elle interprète ce qu'enregistrent nos yeux. ▼

Le cervelet (B) : il coordonne les mouvements du corps et assure son équilibre. ▼

LE SYSTEME NERVEUX

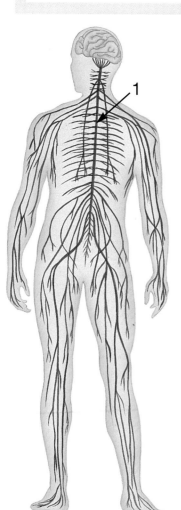

C'est un grand système de communication entre le cerveau et toutes les parties du corps.
La moelle épinière (1) en est l'axe central. Sortant de la base du cerveau, elle suit la colonne vertébrale et se prolonge en milliers de nerfs qui vont se relier à tous les organes et à tous les membres.
Si tu te brûles la main, aussitôt les nerfs vont alerter le cerveau, qui donne à ta main l'ordre de se retirer.
Quand un grave accident touche la moelle épinière, les commandes ne passent plus : les membres sont paralysés.

14

L'aire du langage (3) : c'est elle qui décode ce que tu lis et ce que tu entends. L'autre région (3') commande les lèvres et les cordes vocales. ▶

Le bulbe rachidien (5) : situé dans le tronc cérébral, il contrôle les rythmes du cœur et de la respiration, même pendant le sommeil. ▶

◀ **L'aire du goût (7) :** cette région te permet de reconnaître ce que tu manges : le sucré, le salé, etc.

L'aire motrice (6) : c'est elle qui contrôle les mouvements des muscles volontaires. ▼

6

3'

C

2

A

5

8

4

▲ **L'aire auditive (2) :** les sons y sont interprétés et reconnus.

◀ **La mémoire :** deux régions du cerveau enregistrent, l'une les souvenirs anciens, l'autre les plus récents. Mais les zones ne sont pas encore déterminées avec certitude, car le fonctionnement de la mémoire est très complexe.

L'aire de l'odorat (8) : c'est elle qui permet de reconnaître les odeurs. ▶

LA CIRCULATION SANGUINE

Le sang parcourt sans cesse tout le corps, de la tête aux pieds. Il apporte ainsi à tous les muscles et tous les organes vitaux – foie, estomac, poumons – l'énergie dont ils ont besoin. En battant nuit et jour sans jamais s'arrêter, le cœur est le moteur qui fait circuler le sang. Ce muscle étonnant, gros comme le poing, fonctionne tout seul. Il fait passer les 3 litres de sang que tu as dans le corps (5 litres chez un adulte) à travers d'innombrables vaisseaux, gros ou petits, qui, mis bout à bout, représenteraient plusieurs milliers de kilomètres !
Le sang circule dans le corps à une vitesse qui varie selon le rythme des battements du cœur.

LE SANG

Le sang est constitué de plusieurs corps minuscules qui baignent dans un liquide : le plasma. Ces corps sont :

- Les globules rouges (1), qui donnent au sang sa couleur et transportent l'oxygène des poumons dans tous les organes.
- Les globules blancs (2), qui protègent notre corps contre les maladies. En cas d'infection, ils se multiplient pour tuer les microbes.
- Les plaquettes (3), qui font coaguler le sang quand on se blesse. Quand on se coupe, un caillot se forme et le saignement s'arrête. Chez les hémophiles, le sang ne coagule pas.

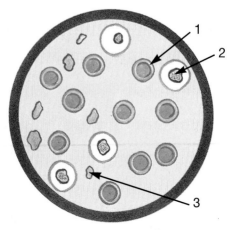

Goutte de sang vue au microscope.

Interprétation humoristique d'un combat entre microbe et globules blancs.

système cardio-vasculaire

LA CIRCULATION SANGUINE

Pour irriguer tout le corps, le sang part du cœur par les artères. Il va alimenter en oxygène tous les muscles et tous les organes. Il s'épure en passant dans le foie et les reins, et s'alimente dans l'intestin. Puis, par les veines, il revient au cœur, chargé des déchets (le gaz carbonique) des muscles et des tissus. On appelle ce trajet la grande circulation. C'est la grande boucle d'un circuit en forme de 8 au centre duquel est le cœur. Continuant son circuit, le sang, chargé de déchets, repart du cœur vers les poumons. Là, il se débarrasse des déchets et se charge en oxygène frais qu'il va rapporter au cœur. C'est la petite circulation.

Le cœur adulte, gros comme un poing fermé, pèse entre 250 et 300 grammes. C'est une machine étonnante conçue pour battre entre 80 et 100 ans, voire plus.

LE CŒUR

Le cœur est un muscle creux, divisé en quatre cavités : deux oreillettes en haut, deux ventricules en bas. Le cœur agit comme une pompe. Pour faire circuler le sang, il l'aspire en se dilatant, puis il le refoule en se contractant. Quand il se contracte, le sang est chassé du ventricule gauche vers tout le corps. Il revient dans l'oreillette droite, qui s'est dilatée. Nouvelle contraction : le sang passe de l'oreillette droite dans le ventricule droit et part vers les poumons. Il en revient pour remplir l'oreillette gauche, qui s'est dilatée, et ainsi de suite. Le cœur fait ce double mouvement de contraction et de dilatation 70 fois par minute : ce sont les battements du cœur.

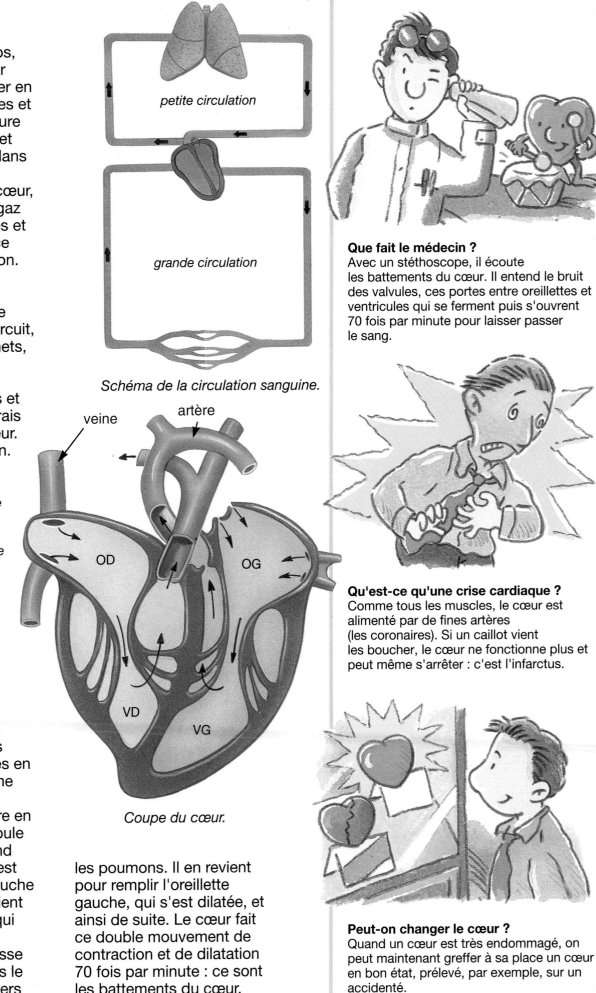

petite circulation

grande circulation

Schéma de la circulation sanguine.

veine
artère
OD
OG
VD
VG

Coupe du cœur.

Que fait le médecin ?
Avec un stéthoscope, il écoute les battements du cœur. Il entend le bruit des valvules, ces portes entre oreillettes et ventricules qui se ferment puis s'ouvrent 70 fois par minute pour laisser passer le sang.

Qu'est-ce qu'une crise cardiaque ?
Comme tous les muscles, le cœur est alimenté par de fines artères (les coronaires). Si un caillot vient les boucher, le cœur ne fonctionne plus et peut même s'arrêter : c'est l'infarctus.

Peut-on changer le cœur ?
Quand un cœur est très endommagé, on peut maintenant greffer à sa place un cœur en bon état, prélevé, par exemple, sur un accidenté.

L'APPAREIL RESPIRATOIRE ET LA PAROLE

La respiration nous apporte l'oxygène dont nous avons besoin pour vivre. Notre appareil respiratoire est fait de deux poumons. L'air y entre par des tubes de plus en plus petits allant de la bouche aux poumons.
Cet ensemble est comme un arbre à l'envers, où le tronc serait la trachée, les grosses branches, les bronches et les feuilles, les alvéoles pulmonaires. C'est dans ces alvéoles que se fait l'échange entre l'oxygène de l'air et le gaz carbonique du sang.
Si nous pouvons parler, c'est aussi grâce à la respiration qui, en faisant vibrer l'air dans la gorge et la bouche, produit des sons et des mots.

L'appareil respiratoire

Les poumons fonctionnent comme une pompe à air, actionnée par les muscles de la cage thoracique, qui la font gonfler et se dégonfler comme un ballon.
Quand nous inspirons, l'air passe de la bouche et du nez dans la trachée-artère (1) et entre dans les 2 poumons par les bronches (2). Celles-ci se divisent en bronchioles (3) pour aboutir aux alvéoles pulmonaires (ces millions de minuscules poches qui forment les poumons).
Là, l'air est filtré, l'oxygène passe dans de tout petits vaisseaux sanguins : les capillaires.
Le sang prend cet oxygène et fait passer dans les poumons le gaz carbonique que l'on rejette en expirant.
Les mouvements respiratoires sont involontaires. Tu respires sans y penser. Mais lorsque tu fais un effort, tu peux inspirer ou expirer plus fort. Tu peux aussi bloquer ta respiration, mais pas très longtemps.

Détail d'une alvéole pulmonaire.

A   B

1
2
3

Inspiration et expiration

Tu inspires (A) : les muscles de la cage thoracique soulèvent les côtes.
Le diaphragme (muscle à la base des poumons) s'abaisse.
Le volume de la cage thoracique augmente, l'air est aspiré fortement par les poumons qui se gonflent.
Puis tu expires (B) : les muscles se relâchent, les côtes s'abaissent, le volume des poumons diminue. L'air est expulsé.

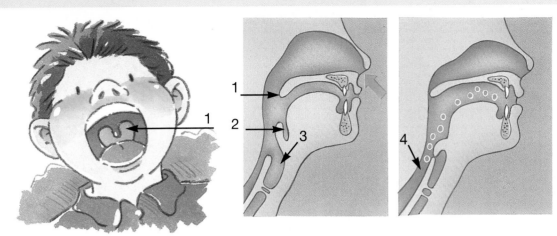

A quoi sert la luette ?

La luette (1) et l'épiglotte (2) sont 2 petites portes au fond de la bouche. Elles s'ouvrent pour que l'air passe de la bouche et du nez dans les poumons par la trachée (3). Quand elles se ferment, on peut manger : la nourriture ne pourra passer que dans l'œsophage (4).

Avale-t-on beaucoup d'air ?
Un bébé de 1 an, qui respire environ 30 fois par minute, avale ainsi plus de 2 litres d'air. Un adulte, lui, respire 14 fois par minute en avalant 7 litres d'air.

D'où vient notre voix ?

C'est le larynx qui produit les sons. Il est comme une petite boîte musicale logée dans la gorge, en travers de laquelle sont tendues les cordes vocales. L'air qui remonte des poumons les fait vibrer. Quand elles sont rapprochées, le son est aigu. Quand elles sont écartées, le son est grave.

Pourquoi a-t-on le hoquet ?
Si on avale trop brusquement, le diaphragme se contracte violemment : on a le hoquet. Même les bébés peuvent avoir le hoquet.

A. position des cordes vocales lorsqu'on respire.

B. quand nous parlons, les cordes se resserrent.

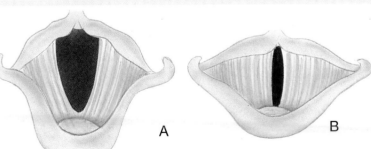

Pourquoi est-on essoufflé quand on court ?
Quand on court, on a besoin de plus d'énergie, on consomme plus d'oxygène. Pour cela, on aspire l'air par petits coups brefs, mais rapprochés.

La voix des garçons change.

Vers 14 ans, chez les garçons, les muscles de la gorge et de la bouche se développent, la pomme d'Adam apparaît (1). Tout cela fait que la voix devient plus grave : on dit que la voix mue.

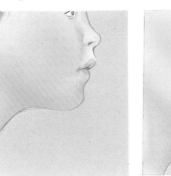

Est-ce dangereux de fumer ?
En fumant, on inspire de dangereux produits chimiques contenus dans les cigarettes, qui endommagent les poumons. Fumer souvent finit par causer des maladies graves.

19

L'APPAREIL DIGESTIF

Le corps a besoin d'énergie pour entretenir les cellules qui le composent et qui travaillent sans cesse. Mais il ne peut utiliser directement l'énergie apportée par les aliments. Il doit les transformer. C'est le rôle de l'appareil digestif : un tube qui va de la bouche à l'anus. En suivant ce trajet, les aliments sont peu à peu "travaillés" par divers sucs digestifs et réduits en une fine bouillie. Les éléments nutritifs qu'elle contient peuvent alors passer dans le sang, qui les apportera à toutes les cellules du corps. On dit que les aliments sont assimilés. Ce voyage des aliments dans le tube digestif dure environ 30 heures.

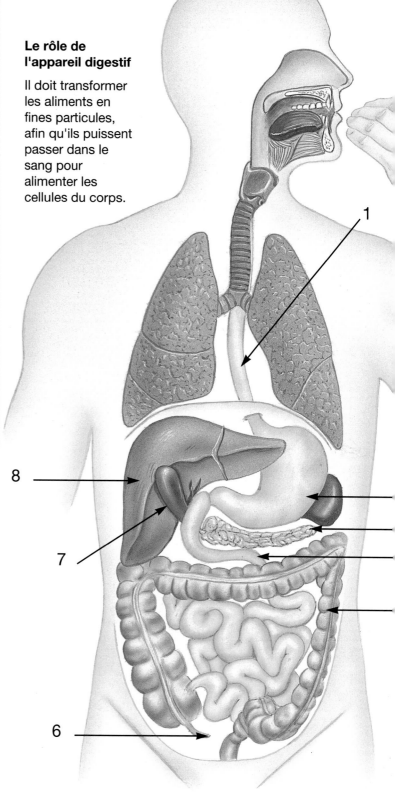

Le rôle de l'appareil digestif

Il doit transformer les aliments en fines particules, afin qu'ils puissent passer dans le sang pour alimenter les cellules du corps.

1

8

7

6

L'APPAREIL DIGESTIF

Le tube digestif suit un trajet allant de la bouche à l'estomac, puis à l'intestin. En le traversant, les aliments sont peu à peu transformés. Ils passent d'abord dans la bouche, où les dents les mâchent et où la salive les ramollit en une petite boule, le bol alimentaire, qui va descendre par l'œsophage dans l'estomac.

Quand les reins sont malades

Si un rein fonctionne mal, l'autre travaille pour deux. Mais si les deux reins sont déficients, on branche une sorte de rein artificiel, appelé appareil de dialyse, sur le malade (dessin ci-dessus).
Sa circulation sanguine est dirigée sur l'appareil, qui va épurer le sang à la place des reins.

Puis l'estomac mixe ce bol alimentaire avec le suc gastrique, qu'il produit, et le réduit en fine bouillie (un repas reste de 2 à 4 heures dans l'estomac). Cette bouillie passe ensuite dans l'intestin grêle, où arrivent aussi des sucs produits par le foie (la bile) et le pancréas. Grâce à eux, la digestion des aliments s'achève : les parois de l'intestin filtrent les parties nutritives, qui passent dans le sang. La veine porte les conduit au foie, qui les transforme en énergie, distribuée enfin par le sang à tout le corps. La partie inutile des aliments passe dans le gros intestin, puis est rejetée par l'anus : ce sont les selles.

L'APPAREIL URINAIRE

Il faut à notre corps beaucoup d'eau. Celle contenue dans le sang doit être purifiée et renouvelée sans cesse (60 fois par jour). C'est l'appareil urinaire, avec les deux reins, qui remplit ce rôle d'épurateur. Les reins sont deux organes en forme de haricots, gros comme un poing,

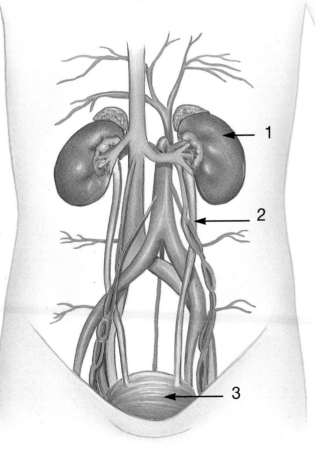

—— 2
—— 3
—— 4
—— 5

formés de millions de minuscules filtres. Les déchets produits par les cellules et dissous dans le sang arrivent aux reins par les artères rénales. Ce sang chargé de déchets est nettoyé : 80 % de l'eau purifiée par les reins retourne dans le sang. Le reste passe par deux tubes, les uretères, dans la vessie et, de là, est évacué par un tube, l'urètre, sous forme d'urine.

Tu as trop mangé, ou ce que tu as mangé n'était pas bon. Ton estomac – qui est un muscle – réagit ; il se contracte avec le diaphragme pour rejeter par la bouche les aliments qui te gênent : tu vomis.

S'il y a une infection à l'intérieur de l'intestin, les aliments n'y restent pas assez longtemps. Ils sont évacués à l'état liquide : c'est la diarrhée. Si tu ne manges pas assez de légumes ou de fruits, ou si tu ne fais pas assez d'exercice, les mouvements de l'intestin se ralentissent. Les restes de la digestion y séjournent trop longtemps. Tu ne vas plus assez souvent à la selle : tu es constipé.

L'appendice est un tout petit sac ouvert sur le gros intestin. Il peut être infecté par des matières qui s'y logent. **Cette inflammation est l'appendicite.** Tu ressens une vive douleur au bas du ventre. Il faut enlever l'appendice malade. Cette opération n'est pas grave.

21

LES CINQ SENS

Les cinq sens sont : la vue, l'ouïe, l'odorat, le toucher et le goût. Pour chaque sens, nous avons un organe particulier : les yeux pour la vue, les oreilles pour l'ouïe, le nez pour l'odorat, les mains et les doigts pour le toucher, la langue pour le goût. Ces organes reçoivent des sensations qu'ils transmettent par des nerfs au cerveau. C'est le cerveau qui déchiffre les sensations. C'est lui qui voit les images, entend les sons, distingue les couleurs, les odeurs et le goût des aliments.

Grâce aux cinq sens et au cerveau, tu découvres le monde qui t'entoure. Tu peux voir les merveilles produites par la nature, sentir les odeurs, entendre les bruits, goûter la nourriture.

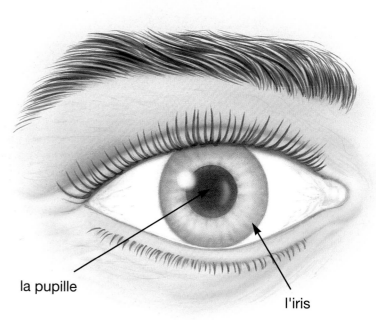

la pupille

l'iris

Quand tu regardes un œil, tu vois, au centre, un anneau coloré, l'iris (1), et, au milieu, une tache noire, la pupille (2). La lumière entre dans l'œil par la pupille. Elle traverse le cristallin (3), qui est comme une lentille, puis va toucher, au fond de l'œil, la rétine (4), un petit écran où se forment les images. De là, le nerf optique (5) les transmet au cerveau.

Quand on observe des objets plus ou moins lointains, le cristallin change de forme pour donner une image nette sur la rétine. Mais si l'œil est mal formé, l'image est brouillée. Quand on voit mal de loin, on est myope. Avec l'âge, le cristallin perd de sa souplesse, les objets proches sont mal vus. Des lunettes ou des verres de contact corrigent ces défauts.

La pupille change de forme : si la lumière qui pénètre dans l'œil est intense, la pupille se rétrécit. En revanche, si la lumière est faible, elle s'agrandit.

LA VUE

Deux yeux, pour quoi faire ?

Un objet, vu par les deux yeux, donne deux images inversées sur les deux rétines. Mais le cerveau les remet à l'endroit et les réunit en une seule image. Ton champ de vision est plus large avec tes deux yeux qu'avec un seul. Ferme un œil, tu verras la différence.

Quand tu pleures ou que tu clignes des yeux, les larmes ou le liquide lacrymal maintiennent l'œil humide et évacuent les poussières. Tu clignes des yeux plus de 5 000 fois par jour !

L'OUIE

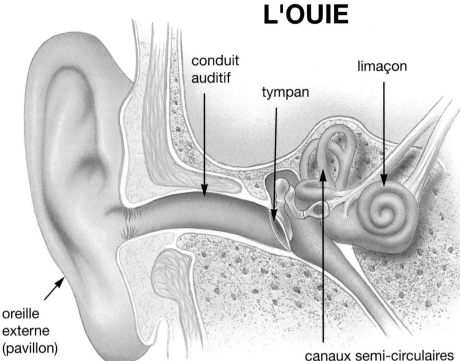

conduit
auditif

tympan

limaçon

oreille
externe
(pavillon)

canaux semi-circulaires

Les sons très forts sont dangereux.
De violentes vibrations peuvent
endommager le tympan ou les nerfs
de l'oreille et rendre sourd.
Il faut s'en protéger.

L'oreille

Les oreilles sont les organes de l'ouïe et de l'équilibre. Quand
un son arrive à l'oreille, il est recueilli par le pavillon. Il traverse
le canal auditif et atteint une membrane, le tympan, qu'il fait vibrer.
En vibrant, le tympan, par une chaîne de trois petits os, transmet
le mouvement au liquide contenu dans un canal en spirale,
le limaçon. De là, des nerfs acheminent ces signaux au cerveau,
qui, lui, "entend". Il interprète les sons et distingue bruits, paroles
ou musique.

Nous discernons les couleurs grâce à
certaines cellules de la rétine. Si celles-ci
sont déficientes, on ne distingue pas bien
les couleurs : un daltonien confond le
rouge et le vert.

L'équilibre

Dans l'oreille interne, à côté du
limaçon, se trouvent trois
anneaux, les canaux semi-
circulaires, grâce auxquels nous
contrôlons notre équilibre. Ils sont
pleins d'un liquide qui bouge un peu
quand nous nous agitons beaucoup.
Ces différents signaux sont transmis
par des nerfs au cerveau, qui connaît
alors la position de notre corps.
Le cerveau donne aux muscles
les ordres pour rétablir l'équilibre.
Quand tu es sur un bateau, ballotté
par les vagues, ce liquide de l'oreille
est agité et tu perds le sens de
l'équilibre : c'est le mal de mer et tu
as mal au cœur. Le même
phénomène se produit lorsque tu es
en voiture et qu'il y a beaucoup de
virages.

*C'est grâce à son oreille interne que
l'équilibriste arrive à tenir sur son ballon.*

Si les vampires des films d'épouvante ont
les yeux rouges, c'est pour mieux
terroriser leurs victimes. Mais si tu as les
yeux rouges, c'est que tu as attrapé un
microbe ou que tu as regardé le soleil en
face. Dans tous les cas, tu dois te soigner.

23

LE GOUT

C'est avec la langue que l'on goûte ce qui est bon ou mauvais. Elle est couverte de milliers de petits bourgeons, les papilles, qui sont les récepteurs du goût. Les papilles du bout de la langue sentent ce qui est sucré ou salé. Sur les côtés de la langue, elles sentent le goût acide (le citron) et, à l'arrière de la langue, ce qui est amer (l'oignon ou l'écorce d'orange).

La salive imprègne les aliments, les papilles goûtant mieux ce qui est liquide. La langue sent aussi le chaud, le froid, la douleur.

Toutes ces sensations sont transmises par des nerfs au cerveau, qui les "reconnaît".

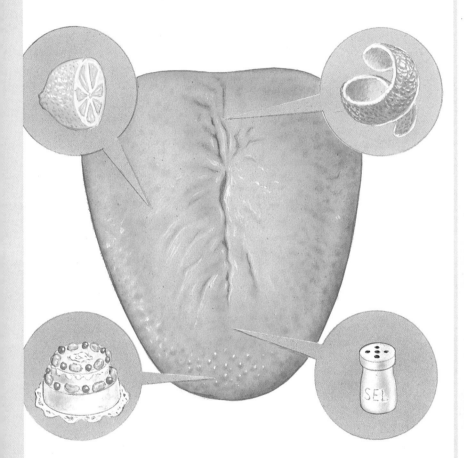

On goûte non seulement avec la langue, mais aussi avec le nez : les fines particules d'aliments passent de la bouche dans le nez, qui "sent" leur saveur. Quand on est enrhumé, le nez est bouché : les aliments ont moins de goût. Si quelque chose est mauvais à manger, le nez et la bouche le signalent au cerveau : on rejette les aliments. Avec tes amis, amuse-toi à reconnaître des aliments les yeux bandés !

L'ODORAT

A l'intérieur du nez, en haut, des cellules munies de petits cils sont les récepteurs olfactifs (1), qui détectent les odeurs. Quand les fines particules portées par l'air viennent les toucher, ces sensations sont transmises au cerveau, qui "reconnaît" les odeurs.

L'odorat t'avertit de ce qui est bon ou mauvais. Une bonne odeur de gâteau : tu as faim ; un poisson sent mauvais : tu ne le manges pas ; une odeur de gaz : il y a danger.

Le sens de l'odorat dépend du nombre de cellules olfactives qu'on a dans le nez. Un chien en a beaucoup plus que nous : il a du "flair".

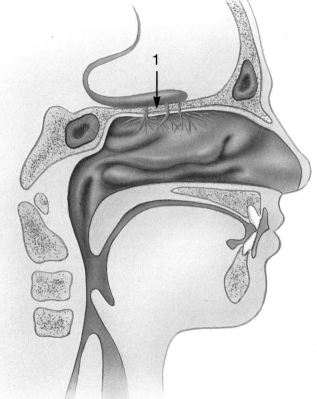

Les personnes qui inventent des parfums s'appellent des "nez". Un nez très "doué" peut distinguer jusqu'à 3 000 odeurs.

LE TOUCHER

C'est avec tes doigts et ta peau que tu sens la forme des objets, s'ils sont chauds ou froids, durs ou mous. La peau sent aussi les chocs, la douleur. Ce sont les milliers de terminaisons nerveuses de la peau qui transmettent ces sensations au cerveau. Notre corps est plus ou moins sensible à certains endroits selon le nombre de récepteurs nerveux qui s'y trouvent. Les yeux, les lèvres, tout le visage, les doigts sont très sensibles.

Tu touches une lame aiguisée, un objet coupant, pointu ou brûlant : le cerveau t'ordonne de retirer ta main.

LA PEAU

La peau est l'organe du toucher.
Elle protège aussi contre les microbes et adapte le corps au chaud et au froid. Il fait chaud : on transpire ; la sueur, en s'évaporant, rafraîchit. Il fait froid : les vaisseaux de la peau se resserrent pour garder la chaleur.
Notre peau, épaisse d'environ 3 mm, est faite de deux couches de cellules : l'épiderme et le derme.
Sa surface se renouvelle toutes les 3 à 4 semaines.
Le derme contient des muscles, des glandes pour la sueur, de petits vaisseaux sanguins qui nourrissent la peau et des milliers de terminaisons nerveuses qui "sentent" les objets.

Coupe de la peau :
1. épiderme.
2. derme.
3. glande sudoripare, qui fournit la sueur.
4. muscle du poil.
5. poil.

Dans les doigts, les nombreuses terminaisons nerveuses sont très rapprochées et permettent de sentir finement ce qu'on touche. Le cerveau interprète ces nombreuses informations et "sent" que le poil du chat est doux.

Quand le soleil brille fort, sa chaleur peut causer coups de soleil, brûlures et insolations. Ta peau réagit pour te protéger : elle brunit. Mais trop de soleil la fait rougir : c'est un avertissement, il faut te mettre à l'ombre et protéger ta peau avec des crèmes solaires.

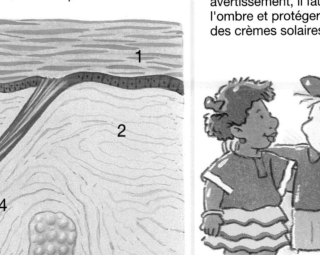

La peau contient un colorant : la mélanine. Plus on en a, plus la peau est brune. Les gens des pays chauds en ont beaucoup : leur peau brune les protège mieux du soleil.

L'HYGIENE DU CORPS

Ton corps est une merveilleuse machine capable de faire mille choses très diverses : courir, entendre, parler, réfléchir…

Aussi, tu dois prendre bien soin de lui : d'abord, le garder propre pour éviter que les microbes ne te rendent malade, bien te nourrir et dormir suffisamment.

L'exercice, qui fait fonctionner ton cœur, tes poumons et tes membres, fortifie ton corps.

Mais parfois les mécanismes si bien organisés de ton corps se dérèglent : tu es malade. Des médecins te soignent et, dans certains cas, tu vas à l'hôpital.

FAIRE DU SPORT

Pour rester en forme et en bonne santé, il faut faire de l'exercice et maintenir chaque jour ton corps en mouvement. Le mouvement fait circuler ton sang, te fait respirer largement, entretient et développe tes muscles. Beaucoup d'organes fonctionnent pour fournir l'énergie nécessaire. Si tu ne fais pas d'exercice, tes muscles et ton corps s'affaiblissent.

SE LAVER

En te lavant chaque jour avec de l'eau et du savon, tu enlèves les poussières, les saletés et la sueur qui pourraient boucher les pores de ta peau et l'empêcher de respirer. Tu dois aussi, avec du shampooing, te laver régulièrement les cheveux. Ce sont eux qui protègent ta tête du froid et du soleil. Après chaque repas, n'oublie pas de te brosser les dents. Autrement, les petits bouts d'aliments restant logés dans tes dents pourraient les infecter et provoquer des caries.

SE SOIGNER

Parfois, notre corps est attaqué par des microbes. Certains, comme les virus, entraînent des maladies contagieuses : grippe, rougeole, oreillons…
Ton corps réagit : tu as de la fièvre et les globules blancs du sang fabriquent des anticorps pour détruire les microbes.
Le médecin examine ta gorge, écoute ta respiration et prescrit des médicaments. Il te vaccine aussi pour te protéger contre certaines maladies.

DORMIR

Ton corps se repose quand tu dors. Mais il ne reste pas inactif.
Il fonctionne à un autre rythme : il grandit, les organes, comme le cœur ou l'estomac, continuent de travailler et les plaies que tu as pu te faire pendant la journée se cicatrisent. On peut distinguer plusieurs phases de sommeil : le sommeil léger, le sommeil profond, puis une période de sommeil pendant laquelle nous rêvons.
Nous passons environ le tiers de notre vie à dormir, mais un enfant a besoin de plus de sommeil qu'un adulte, car son corps doit se reposer pour bien grandir. Un bébé dort 19 heures, un enfant de 8 ans au moins 11 heures, un adulte environ 8 heures.

TABLE DES MATIÈRES

ISBN 2.215.030.72.0
© Éditions FLEURUS, 1994.
Dépôt légal à la date de parution.
Conforme à la Loi N°49-956 du 16 juillet 1949
sur les publications destinées à la jeunesse.
Imprimé en Italie (09-03).